S0-CCJ-955

开动脑筋闯关吧！

MI XIAOQUAN

米小圈

米小圈益智系列

NAOJIN JIZHUAN WAN

脑筋急转弯

JILING XIAO SHENTONG

机灵小神童

北猫 编著

四川少年儿童出版社

机灵小神童

今天上数学课的时候，魏老师领着一位小朋友走了进来。大家都觉得很奇怪，难道这位小朋友是魏老师的孙子吗？

“魏老师，这位小朋友是你的孙子吗？”姜小牙忍不住把心里话说了出来。

姜小牙这么一问，把大家都逗笑了。

魏老师批评道：“都别笑了，这不是我的孙子，而是你们的同学。”

什么？这个小孩儿看上去大概只有六岁的样子，而我们已经十岁了，怎么可能是我们的同学呢？

魏老师解释道：“这位新同学名字叫王聪聪，是个

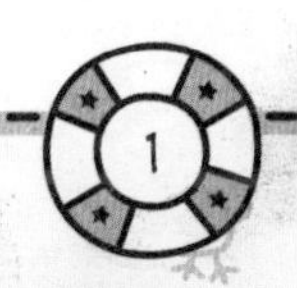

非常聪明的学生，他已经把小学一二三年级的课程全部学完了。在经过一系列的智商和知识测试后，校长才同意他跨年级来咱们班上课。”

什么？一下子把三个年级的课程都学完了？不可能吧，我学了三年其实都没完全学会。

王聪聪的个子很小，于是魏老师把王聪聪同学安排在我的旁边。哈哈……从今天开始我便不再是班级最矮的学生了，想一想就开心。

王聪聪刚一坐下，我就凑过去问道：“小朋友，你真的是小神童吗？”

“哼！你才是小朋友呢。”王聪聪生气了，把头扭到一边，不理我了。

数学课开始了，魏老师在黑板上写了一道很难的数学题。

魏老师说道：“哪位同学会做这道题，请举手。”

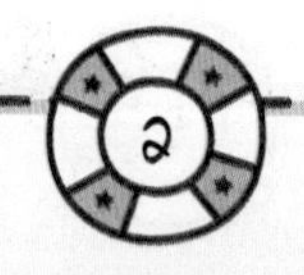

王聪聪第一个把手举了起来：“老师我会，老师我会。”

我们班最聪明的车驰也把手举了起来，可还是慢了一步。

魏老师要求王聪聪到黑板前把题做出来。可想不到的是王聪聪竟然用了五种算法来做这道题，写了满满一

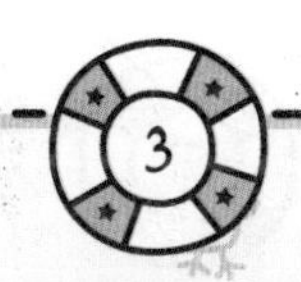

黑板。

我们班最聪明、每次都考第一名的车驰竟然败给了这个小朋友，这让我顿时觉得自己很笨。

下课时，铁头对大家说："聪明有什么用，我武功

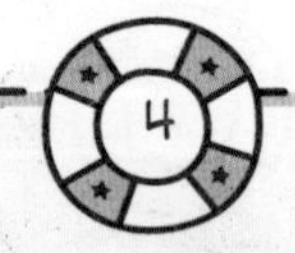

比王聪聪厉害多了。”

姜小牙在一旁说道：“铁头，你这么大的人了，好意思跟一个六岁的小朋友比武功吗？”

“不比武功比什么？”铁头问道。

我突然灵光一闪，说道：“我们可以比脑筋急转弯呀，你们别忘了我可是得过脑筋急转弯冠军的呀。”

姜小牙非常赞同我的想法：“对呀！王聪聪不是号称自己是小神童吗？我们就找几个班里面最会答脑筋急转弯问题的同学来杀杀他的威风。”

“没错！”

我们第一个找的当然是我们班脑筋急转弯第一高手车驰。

班长李黎在一旁生气地说：“米小圈，你们不许欺负新来的同学。”

我解释道：“这怎么能叫欺负人呢，古代有以文会

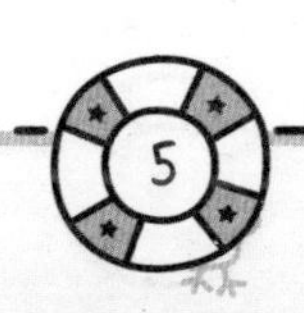

友，今天我们就来一个以脑筋急转弯会友，不伤和气的。”

李黎想了想：“好吧，既然是这样，也算我一个。”

我可从来没觉得李黎是个脑筋急转弯高手，但如果我不让她参加，恐怕她会阻止我们的这场比赛，所以就勉强让她参加吧。

聪明的车驰加上还算聪明的李黎，再加上我这个脑

筋急转弯冠军，我就不信我们赢不了王聪聪。

中午的时候，我们脑筋急转弯三人组来到王聪聪面前，四周围了很多同学。

我说道："小朋友，我们要跟你比赛。"

王聪聪问道："比什么？"

我回答："比脑筋急转弯。"

王聪聪笑了起来："嘻嘻，我小时候最喜欢的就是脑筋急转弯了。"

什么？小时候？可是王聪聪现在才六岁呀。

王聪聪得意地说："你们谁先来！"

李黎向前走了一步："我先来！提问！"

王聪聪不甘示弱地说："回答！"

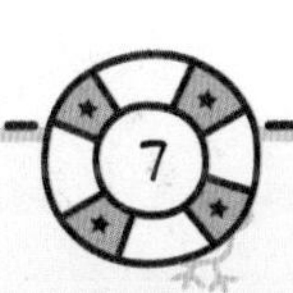

比赛 第一场

第 1 题

上课铃响了，却没有一个同学在教室里，这是怎么回事？

答案
这节是体育课。

这节课我们来学习打篮球。
哦，我忘记了，这节是体育课。

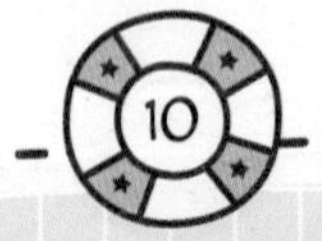

第2题

米小圈和铁头去散步，这时天空下起了雨，只有铁头带了伞，请问谁一定会被淋湿？

答案
伞一定
被淋湿。
你过关了吗？
幸亏你有先见
之明，带了伞。
你看！
我的伞都湿了。

第3题

吃西瓜。（打一动物）

答案
兔子（吐籽）。

不许随地吐籽。

第 4 题

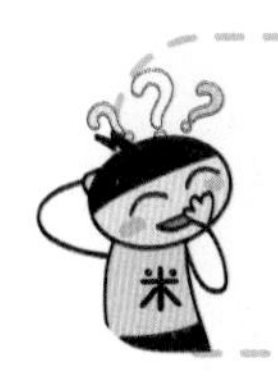
米

用什么拖地最干净？

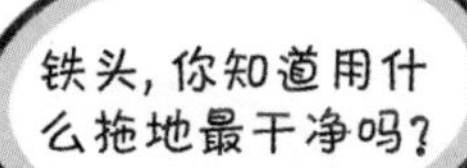
铁头，你知道用什么拖地最干净吗？

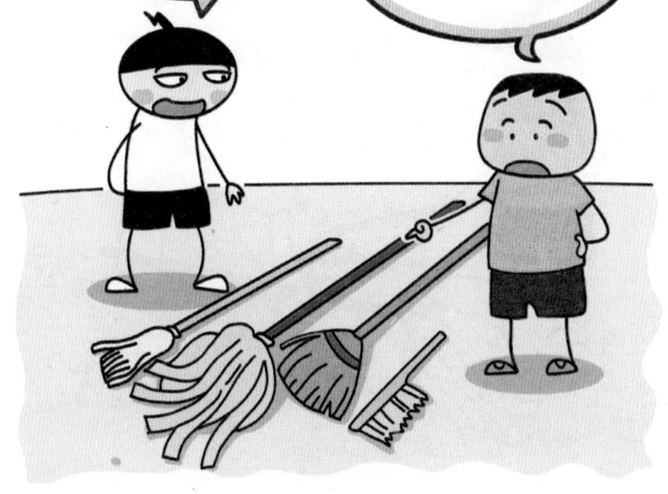
应该是用这个最大的拖把，对不对？

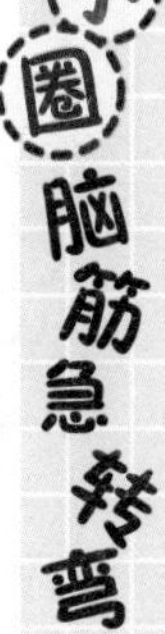
米小圈

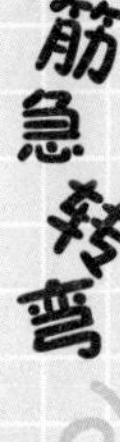
脑筋急转弯

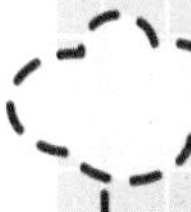

答案
用力。
你过关了吗？
当然是用力拖地最干净呀。铁头，你用力呀。
这个拖把太沉了。

第5题

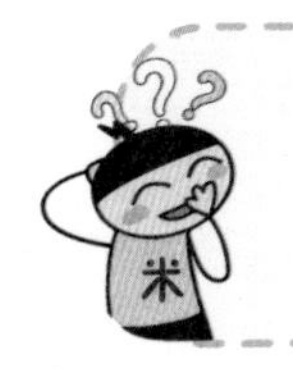

什么情况下 3=15?

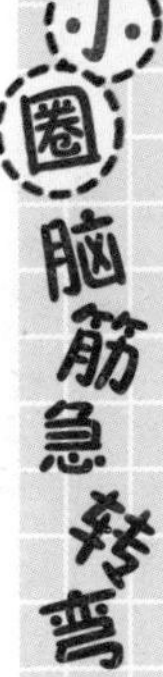

米小圈脑筋急转弯

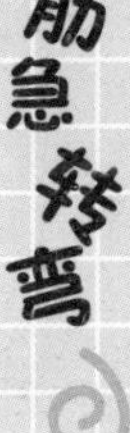

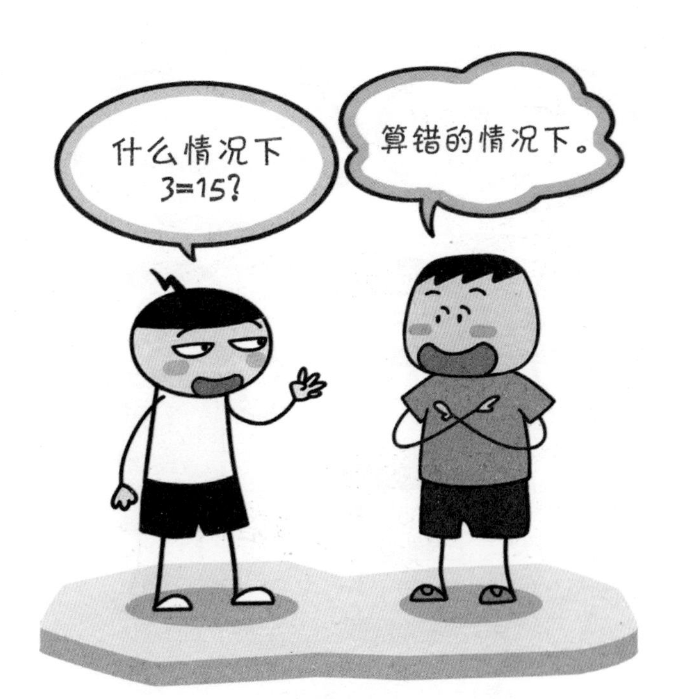

什么情况下
3=15?
算错的情况下。

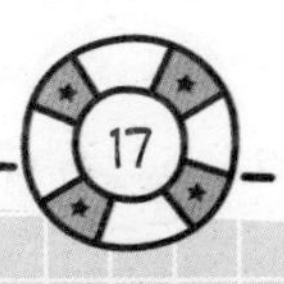

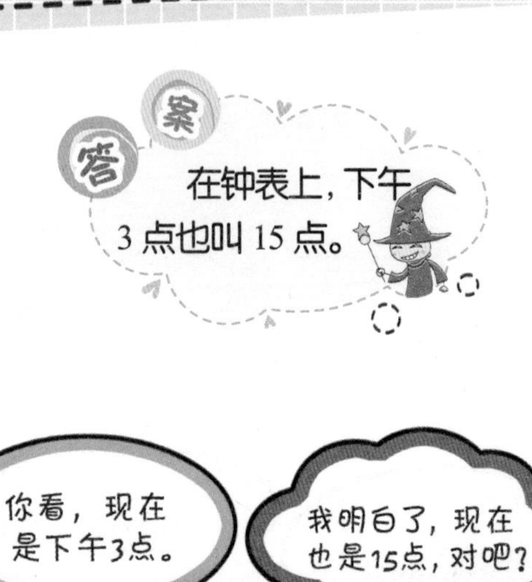
答案
在钟表上，下午3点也叫15点。

你看，现在是下午3点。
我明白了，现在也是15点，对吧？
12
3
9
6

第 6 题

老王的头发已经掉光了，可他为什么还总去理发店？

答案
老王是理发师。

原来你是一个理发师呀。

第 7 题

什么字有三十点?

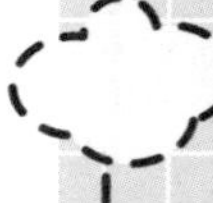

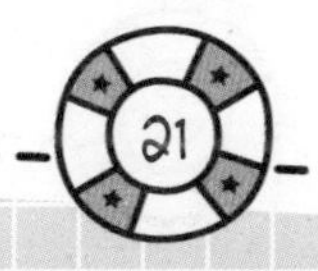

答案
汁。
你过关了吗？
你看！这个“汁”字
就是三和十组成的。
哎呀！我怎么
没想到呢？
汁

第8题

为什么马可以吃掉大象？

米小圈脑筋急转弯

答案
因为在下象棋。
你过关了吗？
我要吃了你的象。
哈哈，你吹牛，你的马腿蹩着呢。

第9题

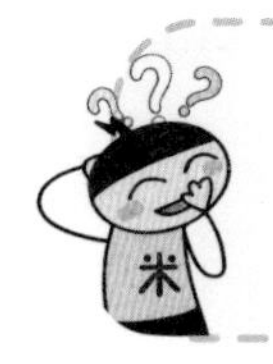

什么字又大又小？

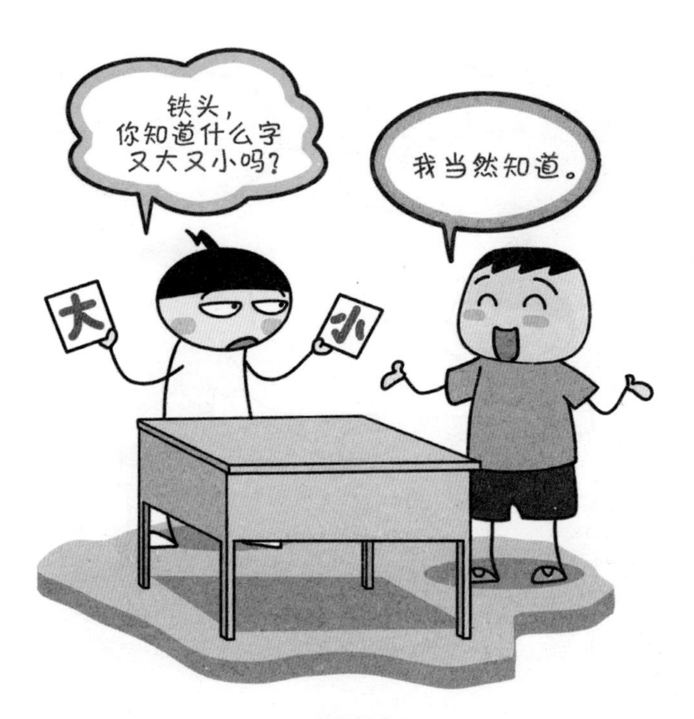

铁头，
你知道什么字
又大又小吗？
我当然知道。
大
小

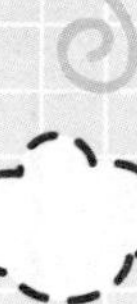

答案
尖。

铁头，你怎么突然变聪明了？
是一个“尖”字。

第 10 题

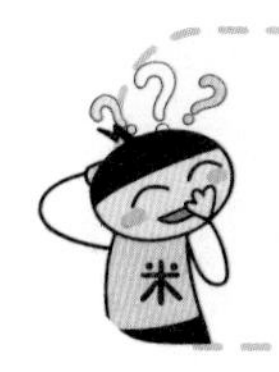

谁在网上的时间最长?

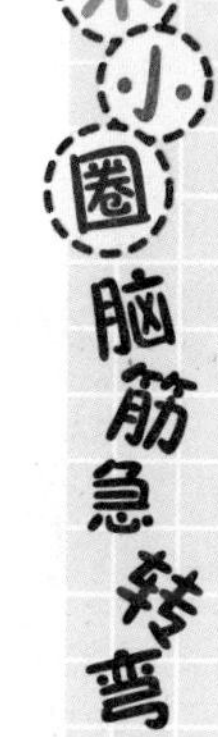

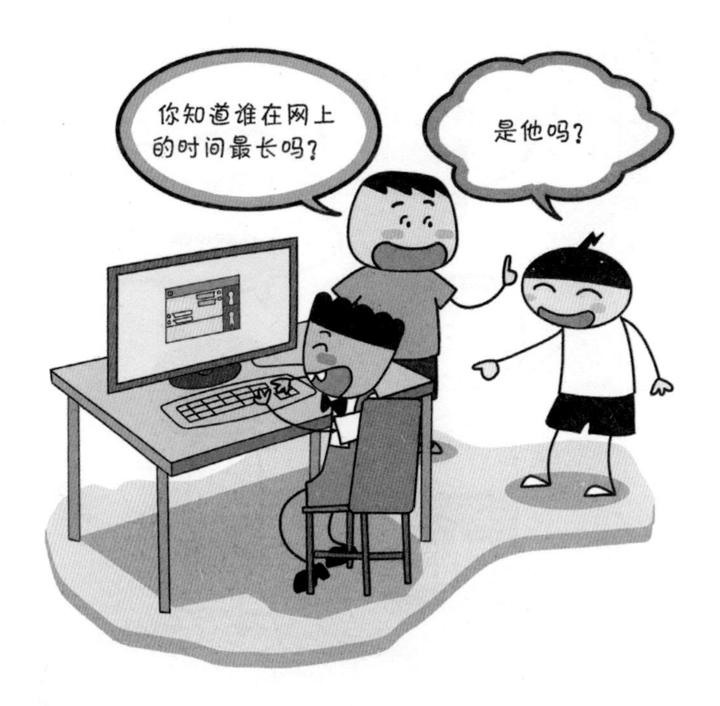

你知道谁在网上的时间最长吗?
是他吗?

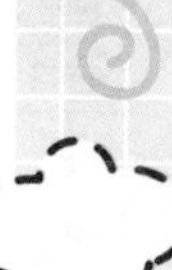

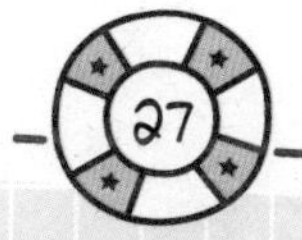

答案
蜘蛛。
你过关了吗？
你错了！
是蜘蛛。
可我还是觉得
姜小牙在网上
的时间比较长。
28

第 11 题

世界上什么人一天就变老了?

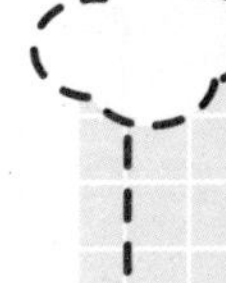

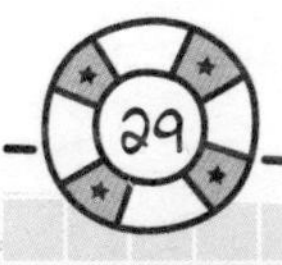

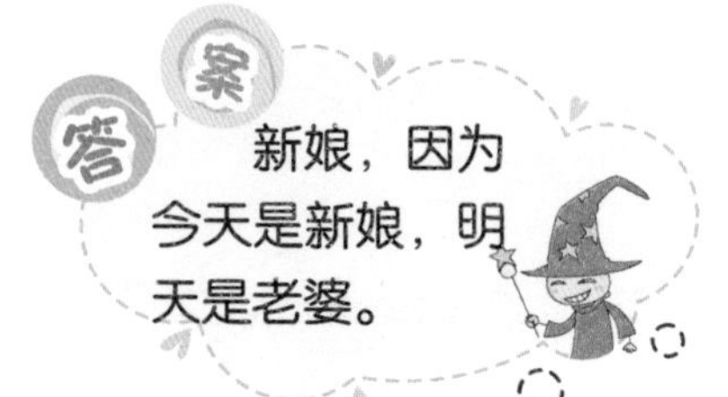

你过关了吗？

第 12 题

哪种水果的视力最差?

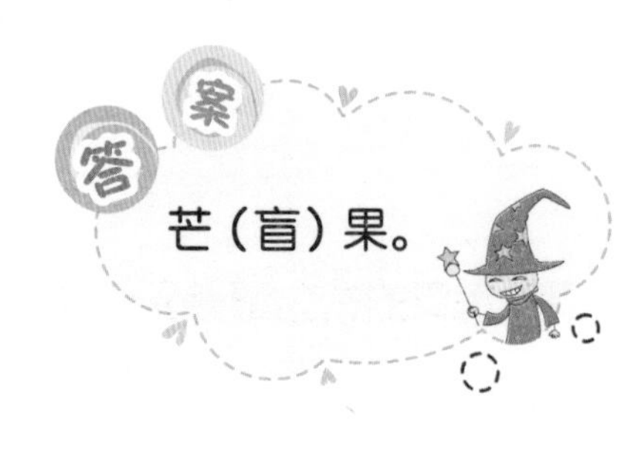
答案
芒（盲）果。

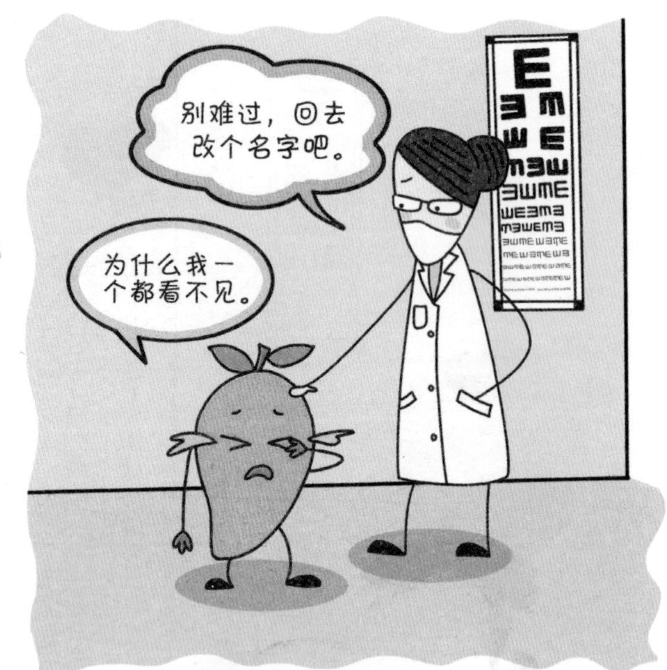
为什么我一个都看不见。
别难过，回去改个名字吧。

第 13 题

世界上哪座城市的交通最发达?

你过关了吗？

第 14 题

什么时候开口说话要付钱？

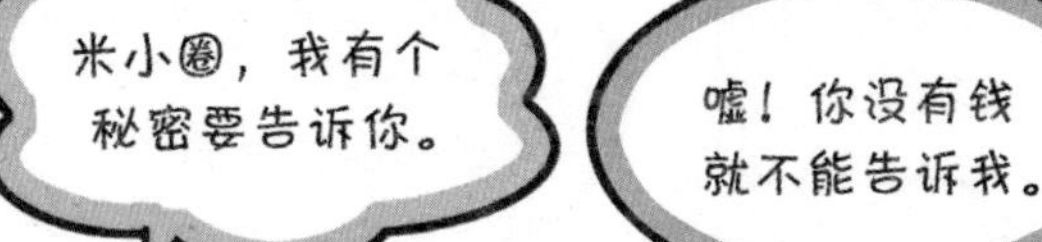

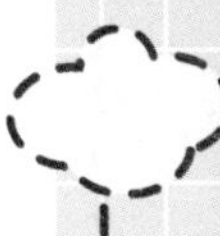

答案
打电话的时候。
你过关了吗？
对不起，您的
手机已欠费。
什么？居然欠费了！
我的秘密还没有告诉
米小圈呢！怎么办呀？

第 15 题

什么掌不能拍？

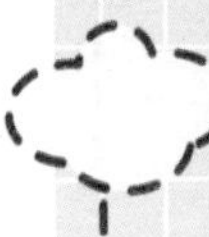

答案
仙人掌。
你过关了吗？
都说了不要
跟它拍掌嘛。
哎呀！好疼！

第 16 题

树上有十只鸟，被枪打掉一只，树上还剩几只？

答案
一只都没有了，全吓跑了。
你过关了吗？
气死我了，
都给我回来！
快跑呀！

第 17 题

哪种花最有力气？哪种花最没力气？

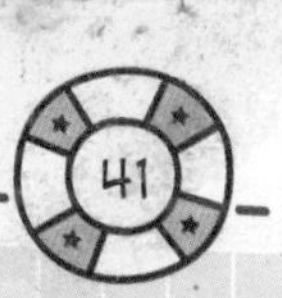

答案

牵牛花最有力气。连牛都能牵走的花，你说它力气大不大？

茉莉花最没力气，因为有首歌唱道：好一朵没力（美丽）的茉莉花。

第 18 题

一颗心脏值多少钱?

答案
一亿元，因为一心一亿（意）。
你的心价值一亿元。
哇！这么值钱呀。
你过关了吗？
44

第一场过后

想不到王聪聪这么聪明，第一场比试，李黎给王聪聪出了十八道题，他竟然全答对了。李黎就这样败下阵来。

我早就说过，李黎就会批评别人，就会打别人的小报告，至于脑筋急转弯，她根本不行。

王聪聪得意地说："都说了我最喜欢脑筋急转弯了，你们是赢不了我的，嘻嘻，还是认输吧。"

"认输，没门！看我的。"车驰向前走了一步，说道。

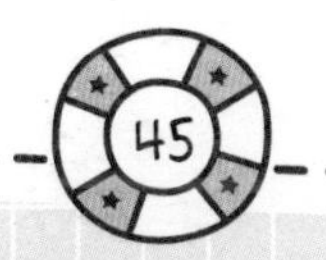

车驰VS王聪聪

王聪聪看了看车驰说："听说你是班里最聪明的同学，不过你没有我聪明。"

车驰气愤地说："少废话！提问！"

王聪聪接道："回答！"

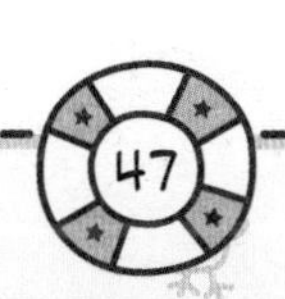

比赛
第二场

第 19 题

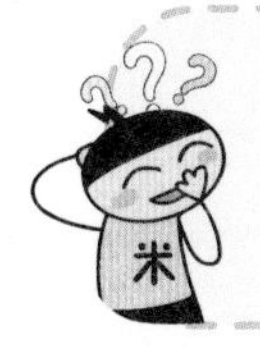

有一条裙子，妈妈可以穿，爸爸也可以穿，这是什么裙子？

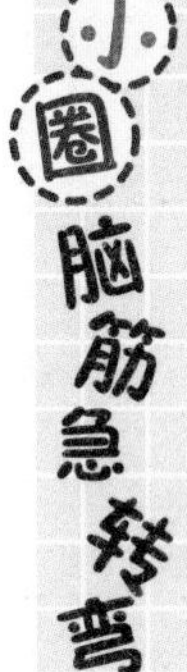

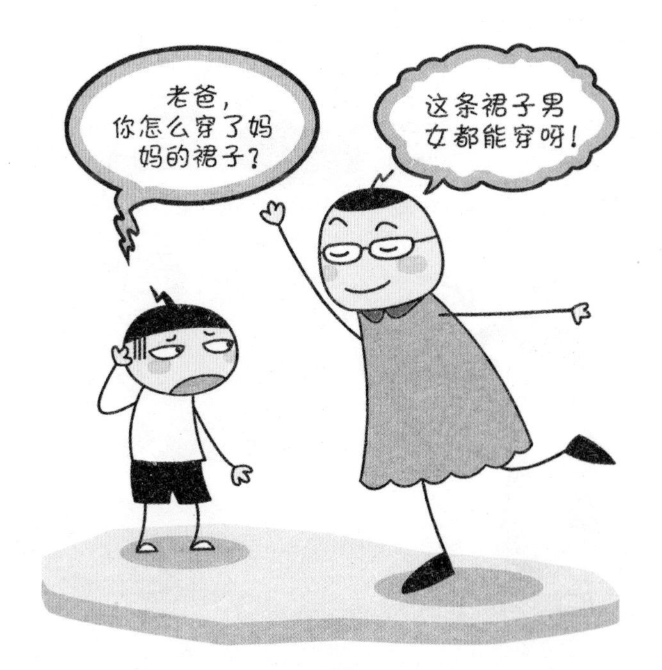

老爸，你怎么穿了妈妈的裙子？
这条裙子男女都能穿呀！

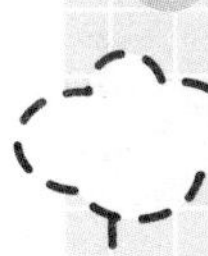

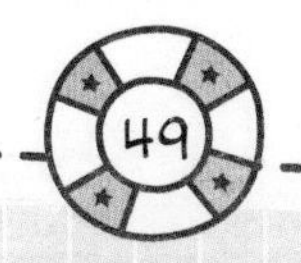

答案
围裙。
你过关了吗？
好呀！
爸爸，妈妈，我来
帮你们做饭吧！

第 20 题

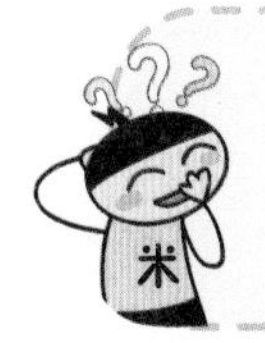

如何让一张纸漂在水面上的时间更长一些?

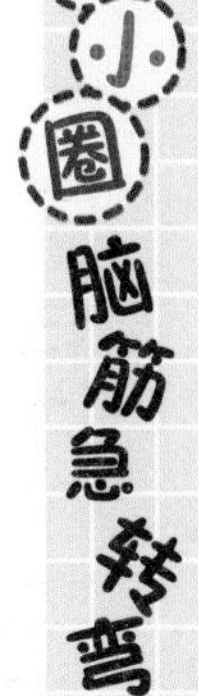

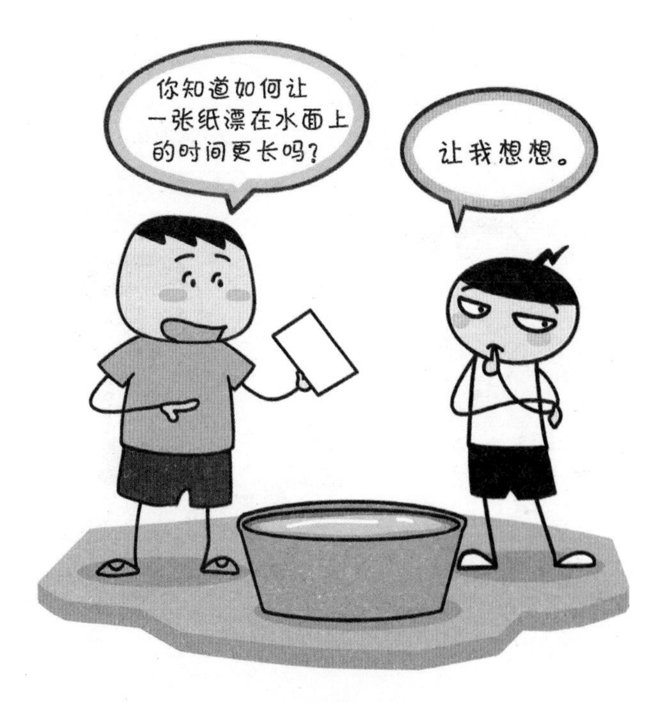

你知道如何让一张纸漂在水面上的时间更长吗?
让我想想。

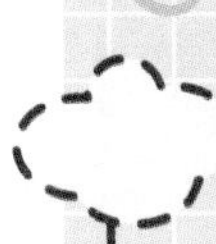

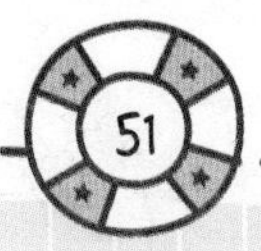

答案
把它折成纸船。

你看！它可以漂在水面哦。
不过一会儿还是会沉下去的。

第 21 题

有个人想通过练拳击来减肥，结果反而变得更胖了，为什么？

答案
因为他被
打肿了。

教练，
我觉得我的脸
好像变胖了？
好像是有
点胖了。

第 22 题

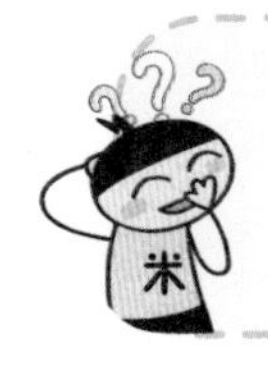

什么时候月亮比太阳大?

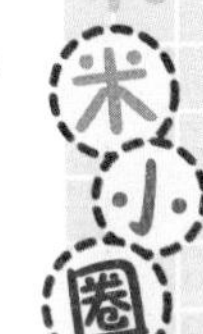

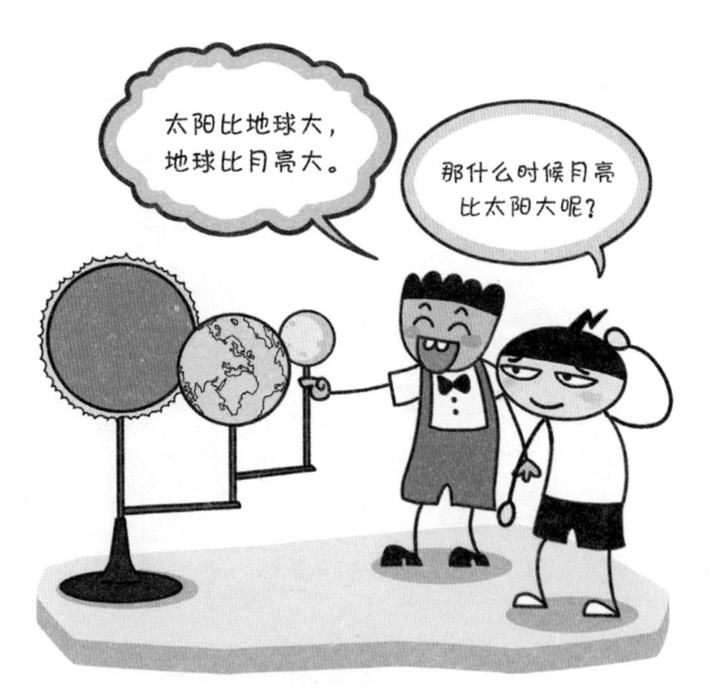

太阳比地球大，
地球比月亮大。
那什么时候月亮
比太阳大呢？

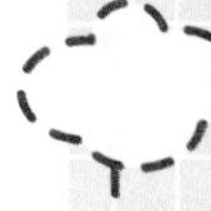

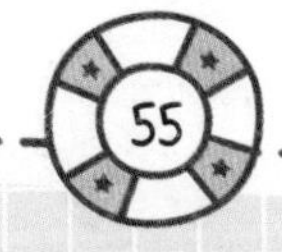

答案
写“明”字的时候。

你看！“明”这个字就是月亮比太阳大。
还真是呀！
明

第 23 题

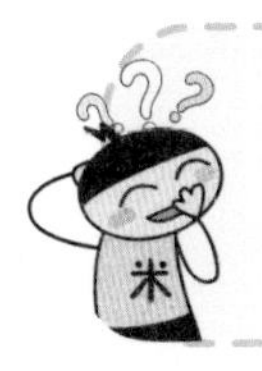

无论你走得多快，什么东西总是比你先到家？

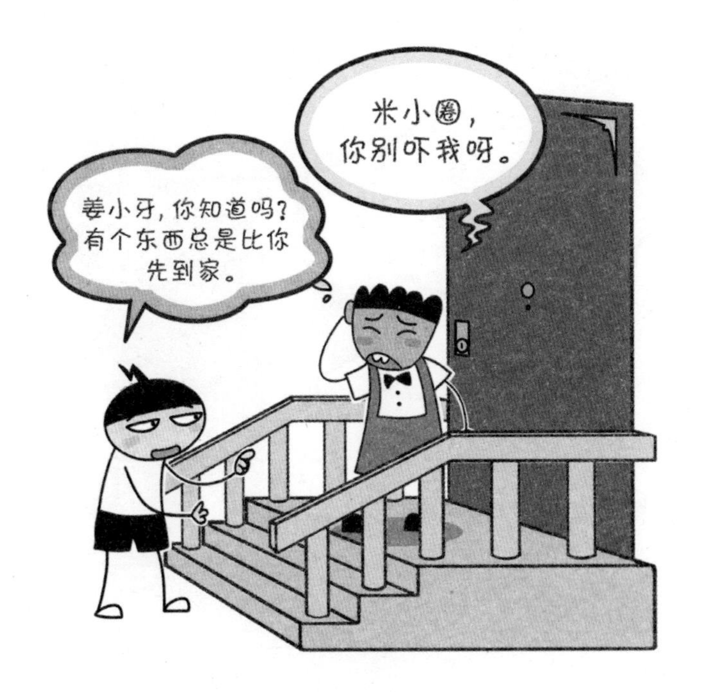

姜小牙，你知道吗？有个东西总是比你先到家。
米小圈，你别吓我呀。

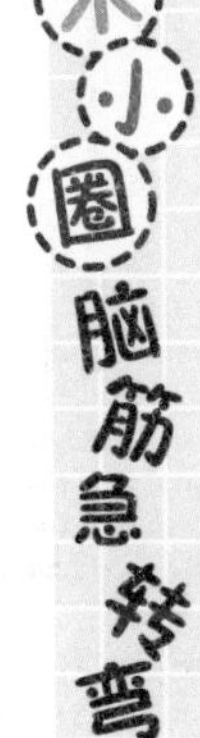

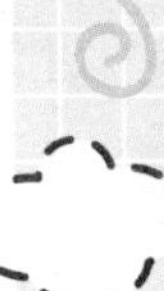

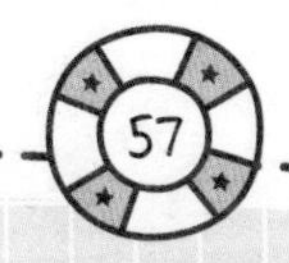

答案
钥匙。
原来是钥匙呀！
我说的正是
钥匙呀，你看！
它比你先到家。
你过关了吗？

第 24 题

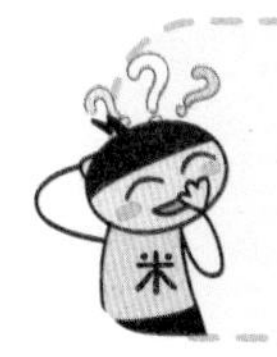

小赵每天都坐飞机上班，你知道是为什么吗？

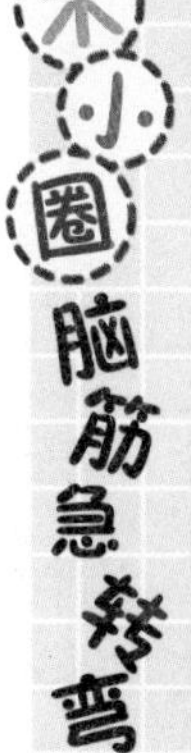
米小圈脑筋急转弯

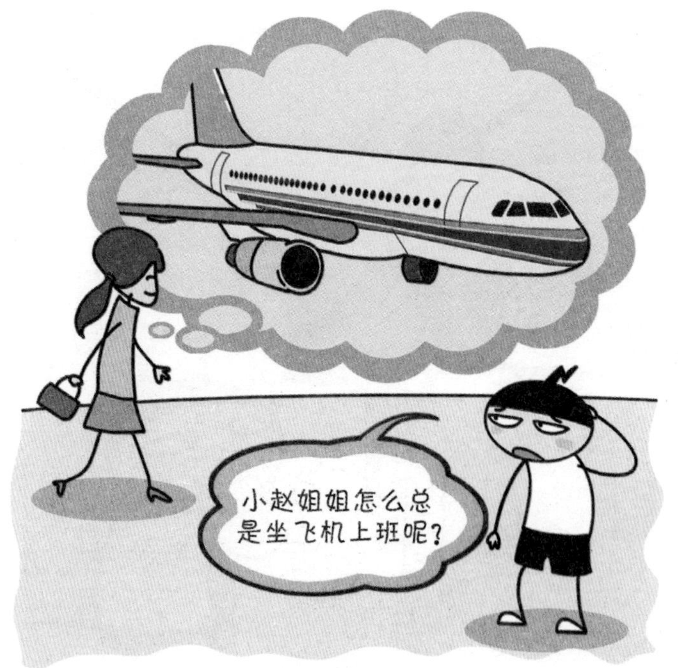

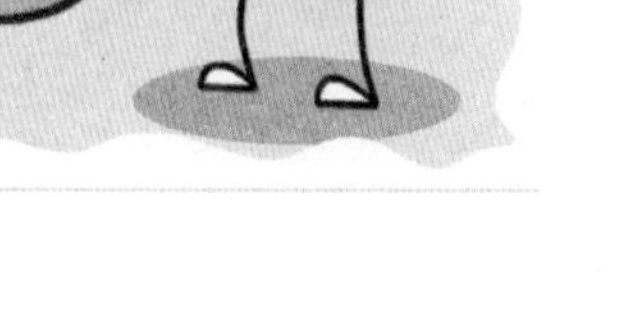
小赵姐姐怎么总
是坐飞机上班呢？

答案
她是空姐。

欢迎您，
请坐。
原来她是
一名空姐呀。

第25题

什么东西生来就是挨打的？

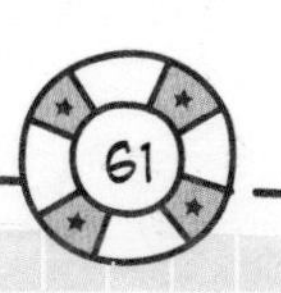

答案
鼓。
你过关了吗？
你可以打鼓出出气。
谁想打我，来打吧。
好吧！
62

第 26 题

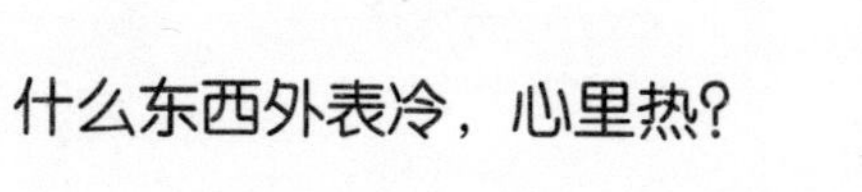

什么东西外表冷，心里热？

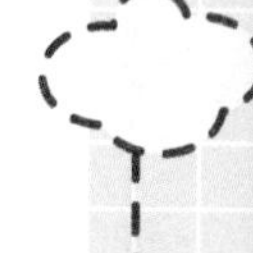

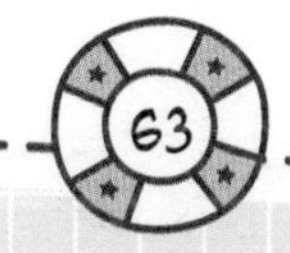

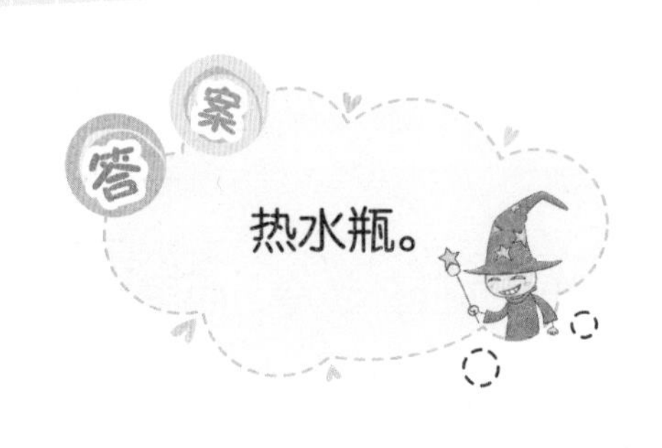

你过关了吗？

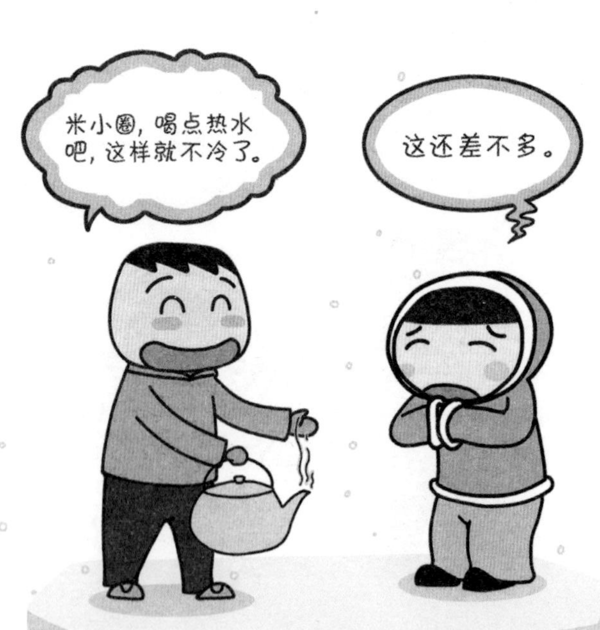

米小圈，喝点热水吧，这样就不冷了。
这还差不多。

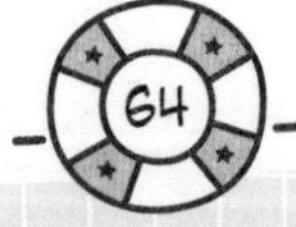

第 27 题

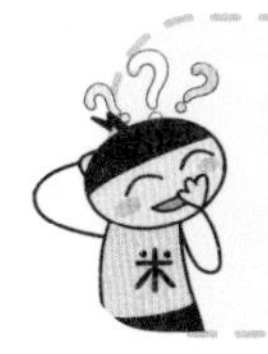

什么东西的制造日期和有效期是同一天?

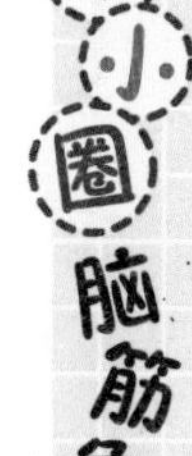

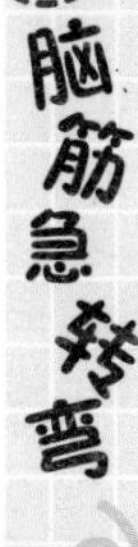

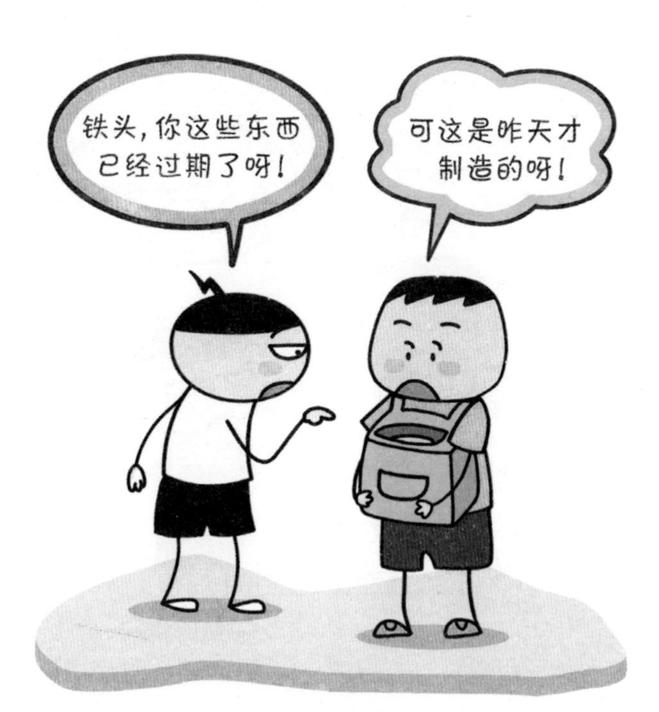

铁头，你这些东西已经过期了呀！
可这是昨天才制造的呀！

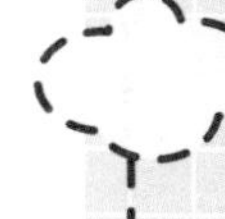

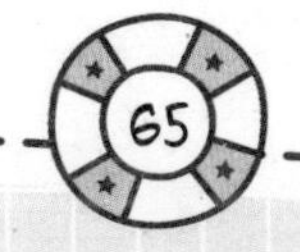

答案
日报。
卖报，卖报，
昨天的报纸，
快来买呀！
有人买才怪呢。
你过关了吗？

第 28 题

什么花千万不能用水浇?

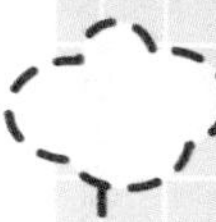

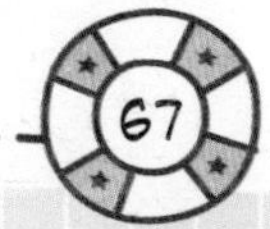

答案
烟花。

哇！
好漂亮的烟花呀！

第 29 题

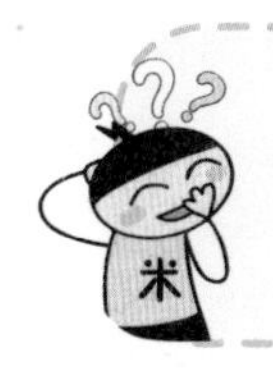

什么东西干活要先脱帽子？

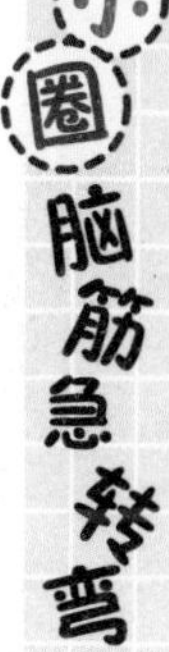

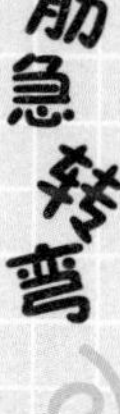

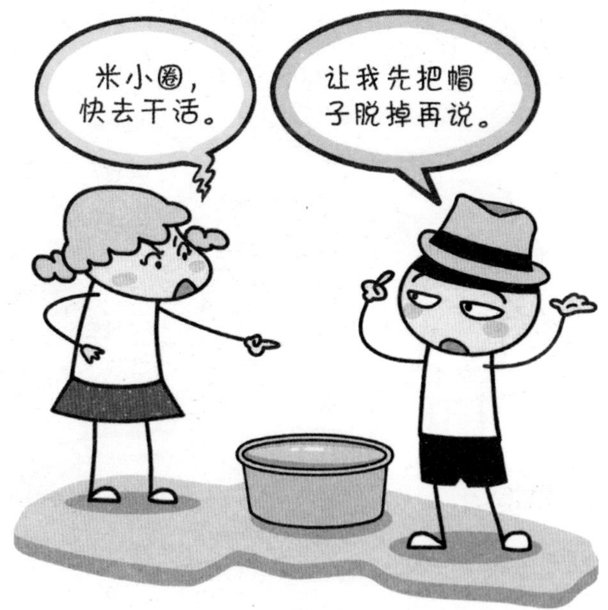

米小圈，快去干活。
让我先把帽子脱掉再说。

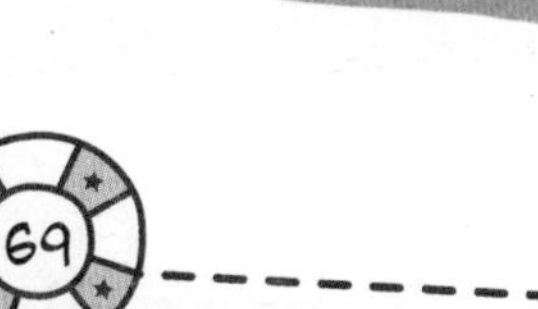

你过关了吗？
答案
钢笔。
钢笔才需要先
脱帽子，你以为
你是钢笔吗？
好吧。

第 30 题

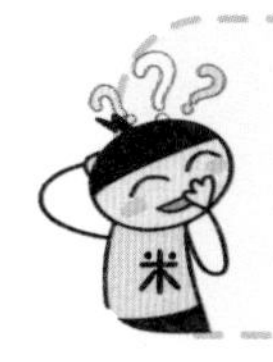

说它是牛不是牛，力小能背房子走，这是什么？

米小圈脑筋急转弯

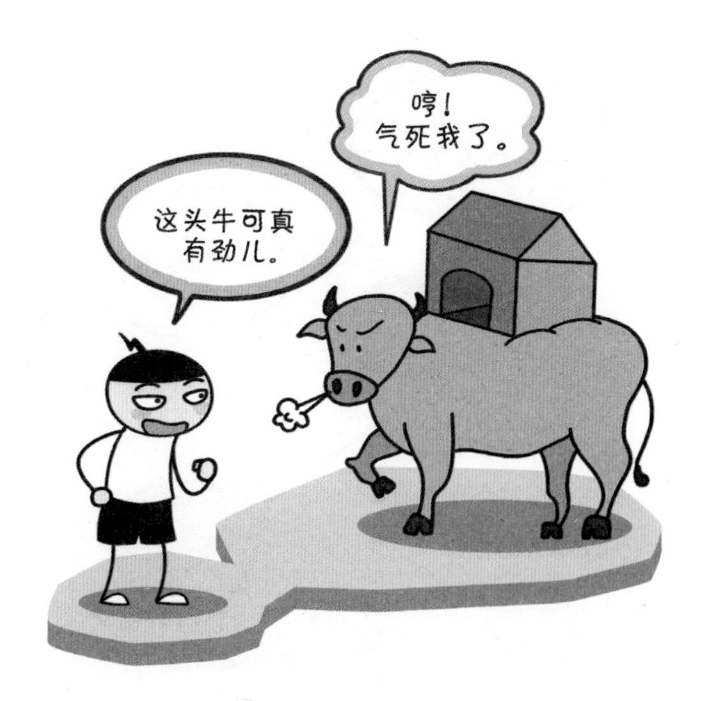

这头牛可真有劲儿。
哼！气死我了。

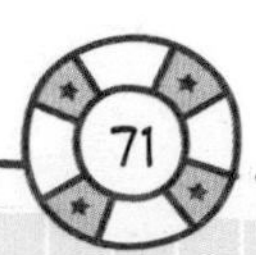

答案
蜗牛。
你过关了吗？
蜗牛先生，你背着房子不累吗？
一点都不累。

第 31 题

一口咬去多半截。（打一个字）

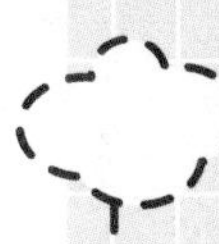

答案
名。
你过关了吗？
一口咬去多半截，
是一个“名”字，
你们猜对了吗？
名
74

第 32 题

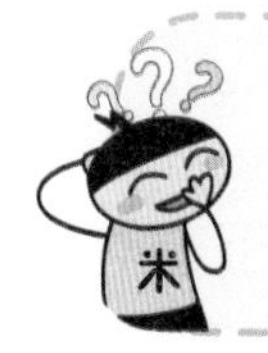

一年四季都盛开的花是什么花?

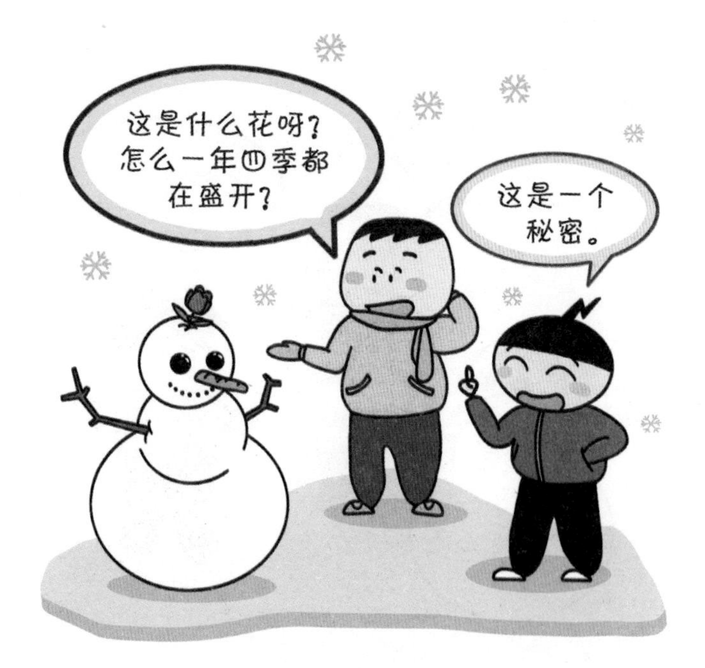

这是什么花呀?怎么一年四季都在盛开?
这是一个秘密。

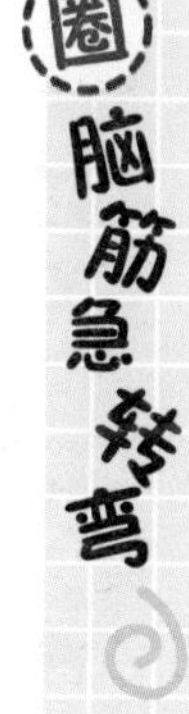

答案
塑料花。
你过关了吗?
原来是塑料花呀。
秘密被发现了。

第 33 题

如果你长出了一对翅膀，你会做什么？

你过关了吗？

第 34 题

会飞不是鸟，像鼠不是鼠，白天躲暗处，夜晚捉害虫。（打一动物）

铁头
我发现了一只鸟，
不！是一只老鼠，
不！也不是老鼠
……
胆小鬼，
有什么可怕的，
我去看看。

答案
蝙蝠。
你过关了吗？
救命呀！
哼！
想不到铁头比
我胆子还小。

第 35 题

什么车被撞了还很高兴?

答案
碰碰车。
你过关了吗？
仿佛又回到了小时候。
好好玩呀！

第 36 题

一头被 10 米绳子拴住的老虎，怎样才能吃到 20 米外的草？

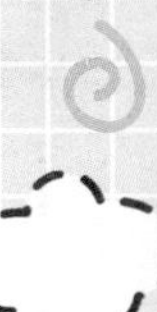

答案
老虎不吃草。
你过关了吗？
老虎不是不吃草吗？
对呀！我差点忘记了。

第 37 题

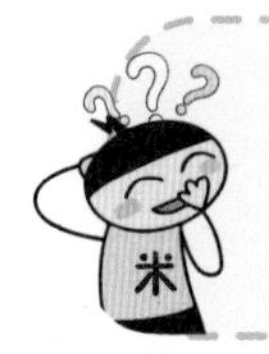

什么东西喜欢唱歌却讨厌别人鼓掌？

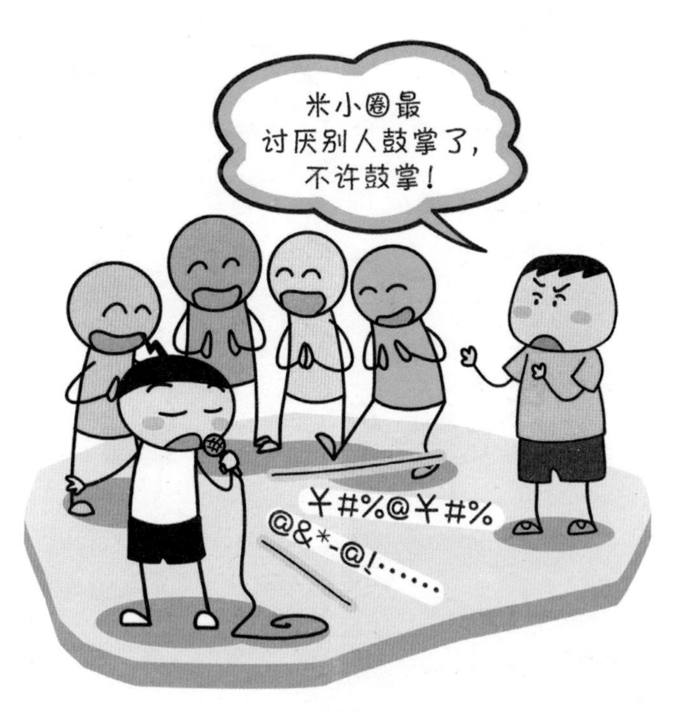

米小圈最讨厌别人鼓掌了，不许鼓掌！
￥#%@￥#%
@&*-@!……

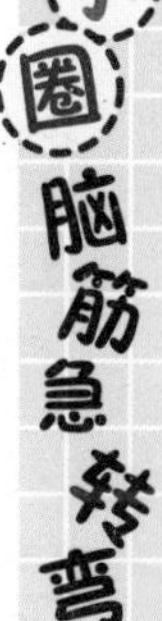

米小圈脑筋急转弯

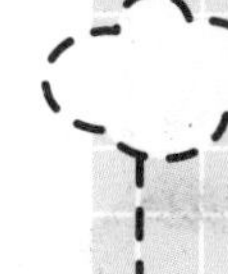

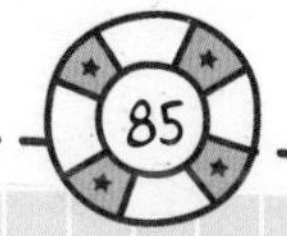

答案
蚊子。
你过关了吗？
铁头，
还是用这个吧。
我要拍死你。
86

第二场过后

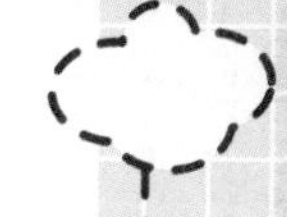

想不到啊想不到，连我们班最聪明的车驰都没有难住王聪聪。

铁头在一旁小声说："看来这个王聪聪真的是个小神童。"

姜小牙批评道："铁头，你到底向着谁说话呀？比赛还没有完呢，我们还有脑筋急转弯冠军米小圈没有上场呢。"

没错，我米小圈一旦上场绝对可以难住王聪聪。

谁知王聪聪却说："米小圈这个名字好滑稽呀，哈

哈哈哈……”

我向前走了一步，说道：“不许笑，我就是米小圈。”

王聪聪一看见我笑得更大声了：“我以为是谁呢，原来是脑袋像个球的同学呀。”

哼！这个小孩儿太没有礼貌了。

王聪聪接着问道："米小球同学，如果这一场比赛你输给了我，是不是我就彻底胜利了？"

我不屑地说："是的，不过这一场你是不可能取胜的。"

王聪聪追问道："但如果我取胜了呢，你们是不是就服我了？"

我回答："我们不光服你，而且以后再也不叫你小朋友了，天天叫你小神童。"

"太棒了。"王聪聪高兴得跳了起来，就像他已经取胜了一样。

我说道："好了，不要高兴得太早，开始比赛了，提问！"

王聪聪马上说："回答！"

比赛
第三场

第 38 题

为什么妈妈几个月不给弟弟吃饭，弟弟仍然能健康成长？

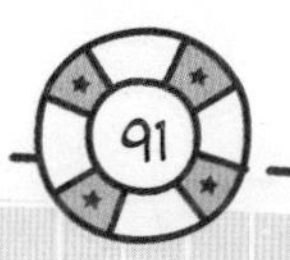

答案
弟弟在妈妈的肚子里。
你过关了吗？
因为你的弟弟现在根本不用吃饭。
原来是这样呀！

第 39 题

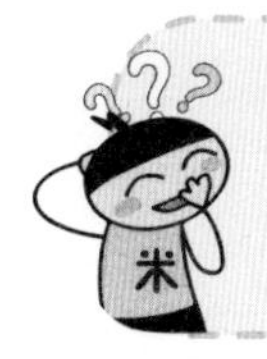

什么事一定要用两只手才能做到？

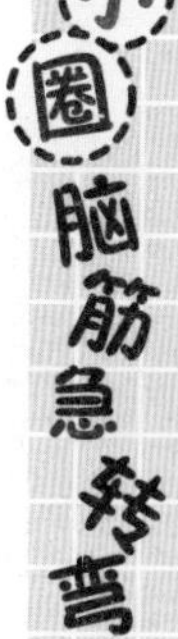

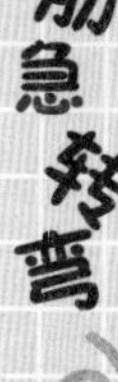

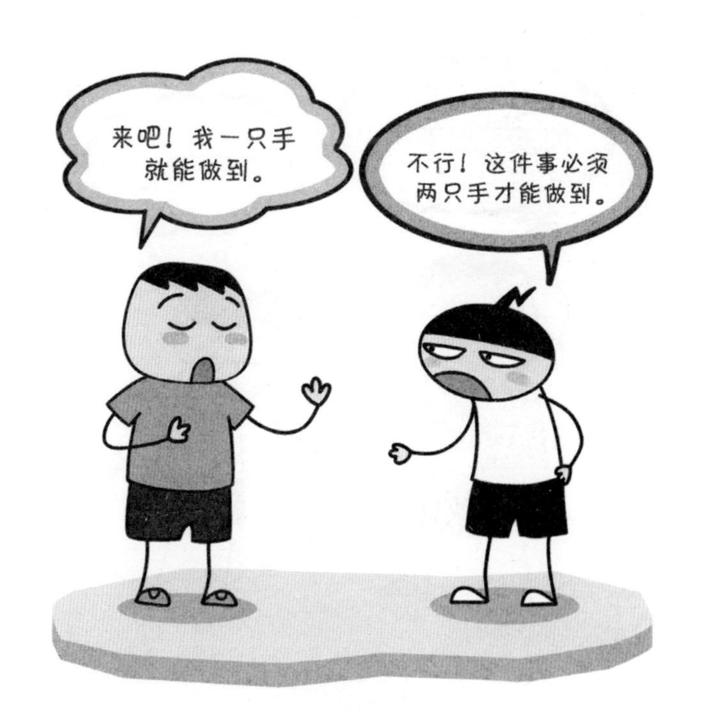

来吧！我一只手就能做到。
不行！这件事必须两只手才能做到。

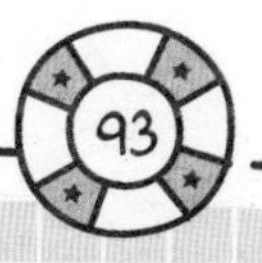

答案
握手。
你过关了吗？
原来是握手呀。
没错。

第 40 题

一名士兵跑得最快，为什么他的长官还要批评他？

答案
因为他在逃跑。
你过关了吗？
米小圈，你怎么能当逃兵呢？
我不想打仗。
96

第 41 题

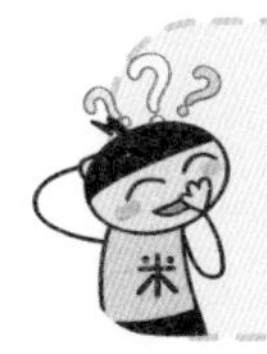

黑人和白人生下的婴儿，牙齿是什么颜色的？

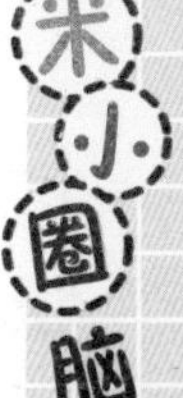

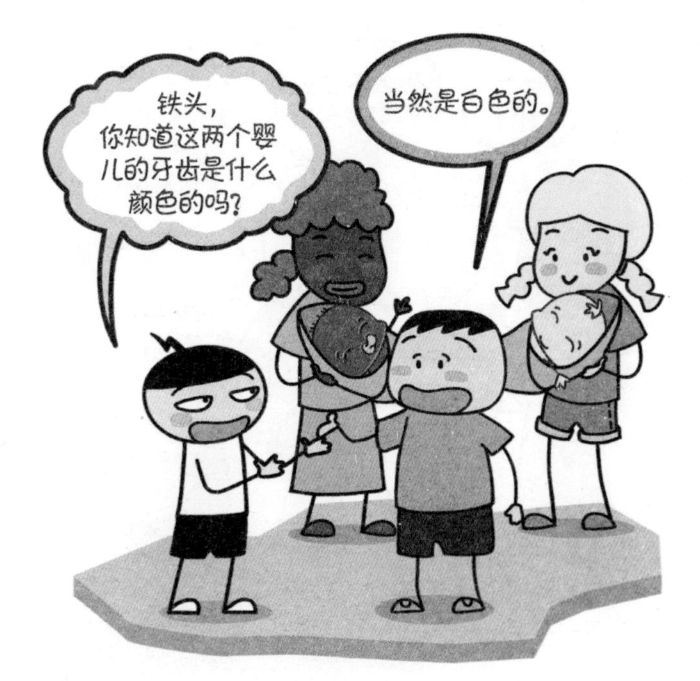

铁头，你知道这两个婴儿的牙齿是什么颜色的吗？
当然是白色的。

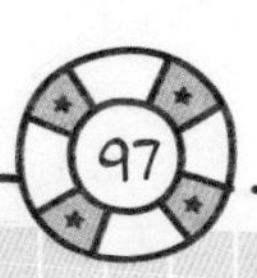

答案
婴儿没
有牙。
你过关了吗？
错！
刚生下来的婴儿
根本没有牙齿。
原来是这样啊。

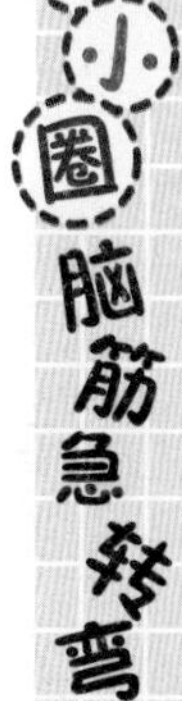
米小圈脑筋急转弯

第 42 题

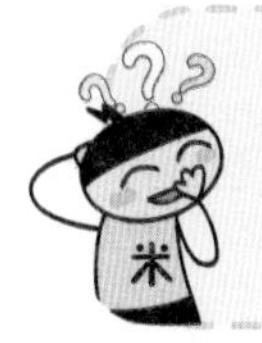
米

人们眼见一艘船沉入海里，却无动于衷，为什么？

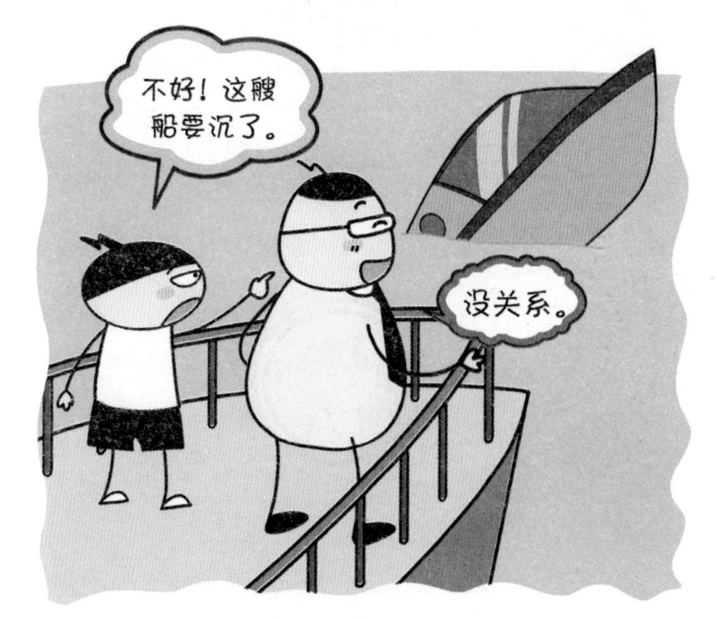
不好！这艘船要沉了。
没关系。

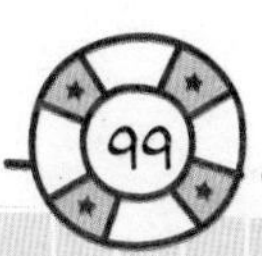

答
案
这是一艘潜艇。

因为这是一艘潜艇。
原来如此。

第 43 题

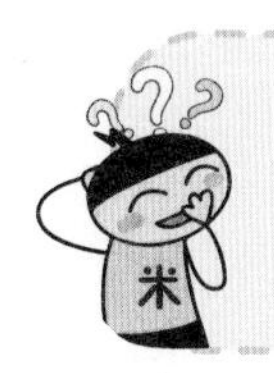

哪一件衣服最耐穿？

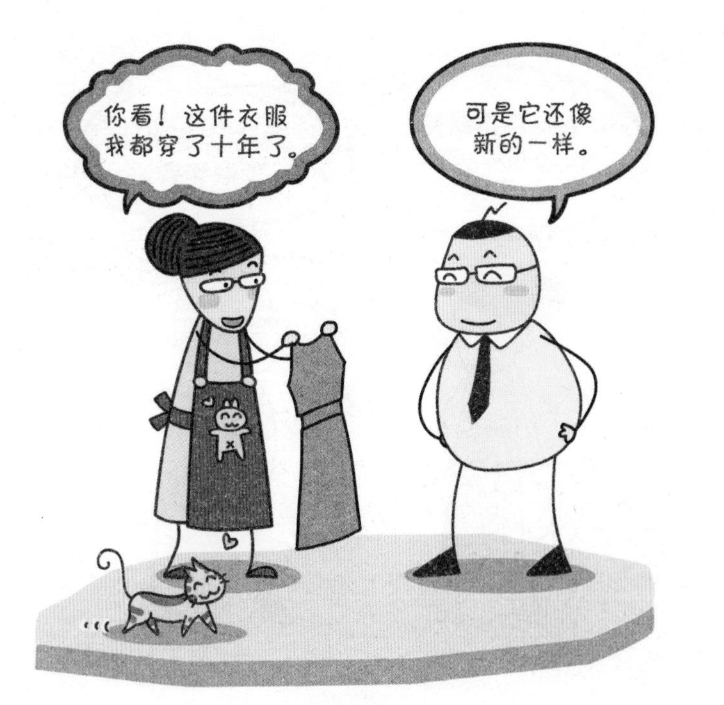

你看！这件衣服我都穿了十年了。
可是它还像新的一样。

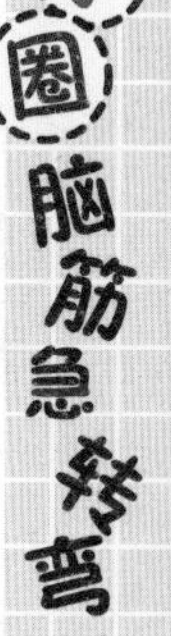

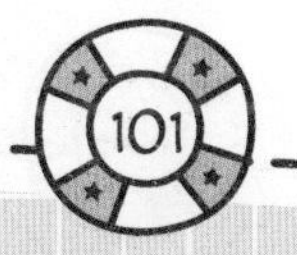

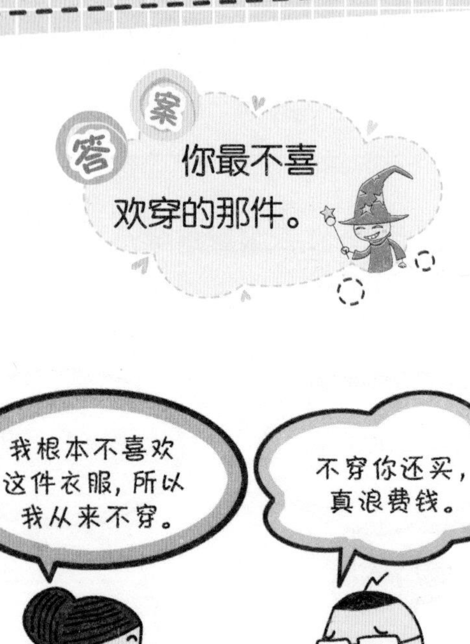
答案
你最不喜欢穿的那件。

我根本不喜欢这件衣服，所以我从来不穿。
不穿你还买，真浪费钱。

第 44 题

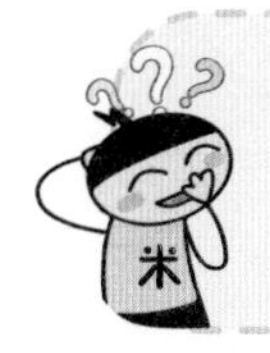

什么人你不认识，却总是让你笑口常开？

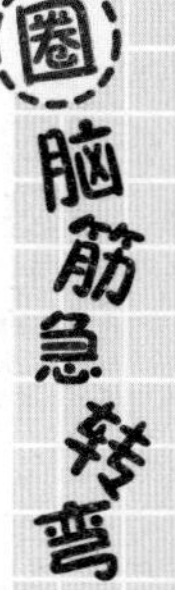

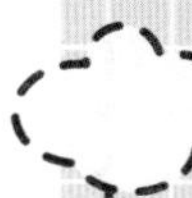

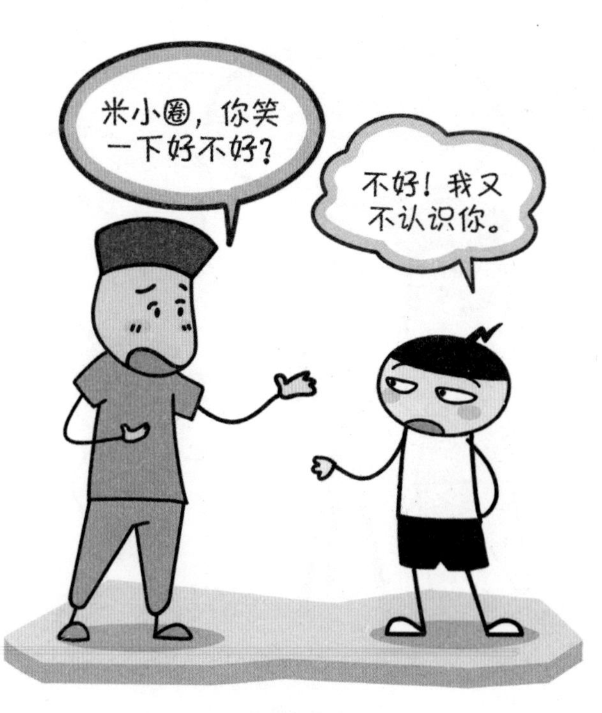

米小圈，你笑一下好不好？
不好！我又不认识你。

答案
摄影师。
你过关了吗？
可是你不笑，拍照不好看哦！
哦，好吧。

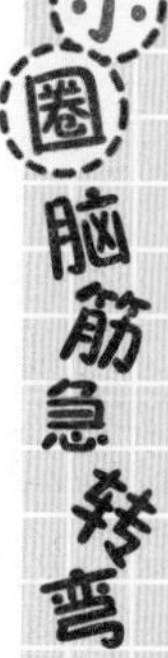
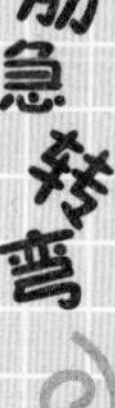

第 45 题

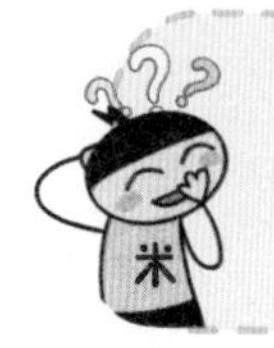

什么杯不能用来喝水，大家还急着想要得到它？

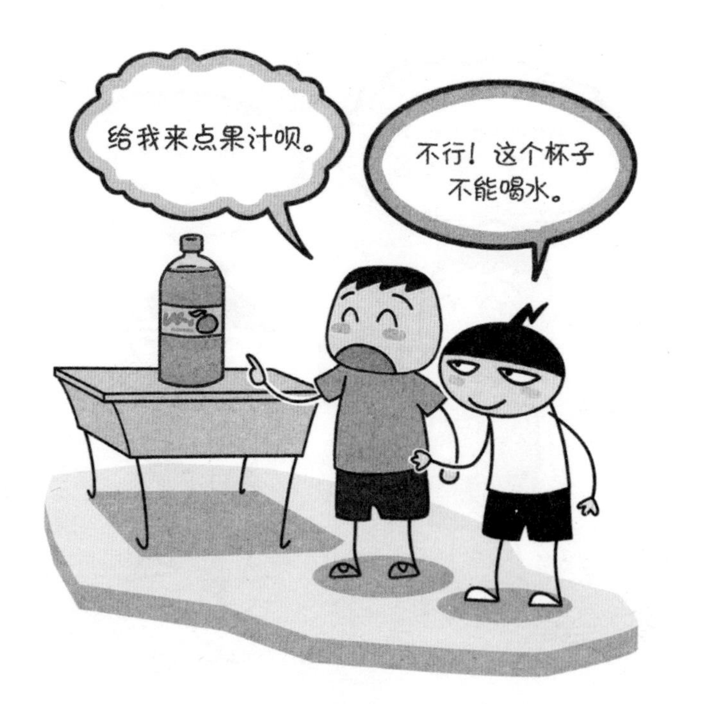

给我来点果汁呗。
不行！这个杯子不能喝水。

答案
奖杯。
你过关了吗？
哈哈哈哈……我终于得了第一名。
哼！有什么了不起的。

第 46 题

请问木字多一撇是什么字?

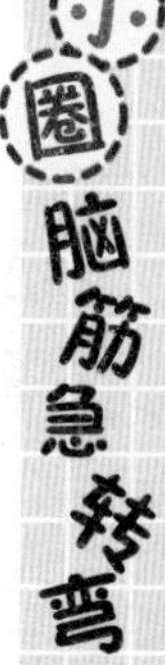

答案
移。
你过关了吗？
我知道了，
是个“移”字。
丿
木
多

第 47 题

一个即将被枪决的犯人，他最大的愿望是什么？

答案
穿上防弹衣。
你过关了吗？
能让我穿上防弹衣吗？
想得美！

第 48 题

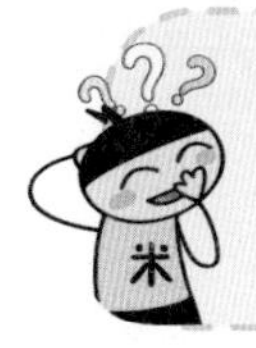

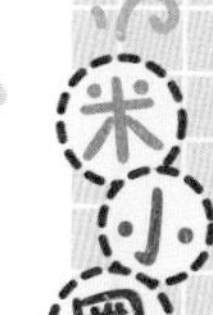

什么东西放在火中不会燃烧，放在水里不会沉底？

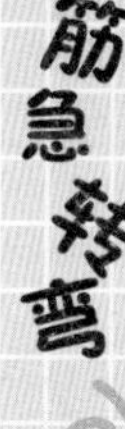

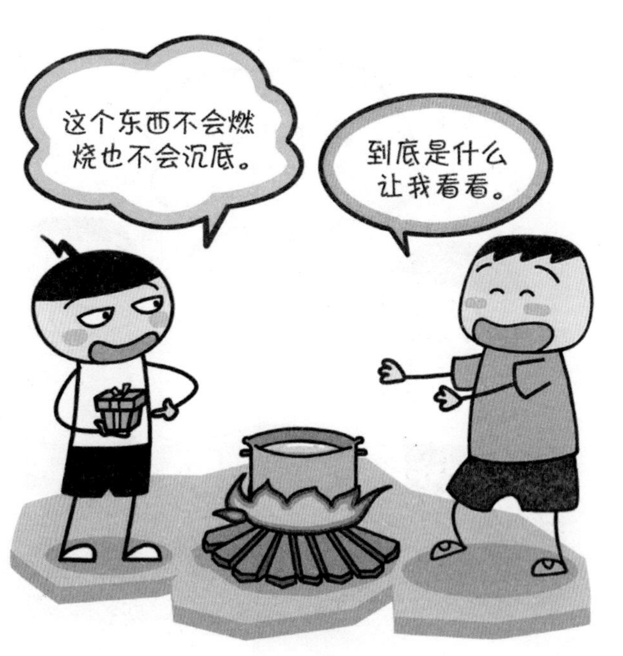

这个东西不会燃烧也不会沉底。
到底是什么让我看看。

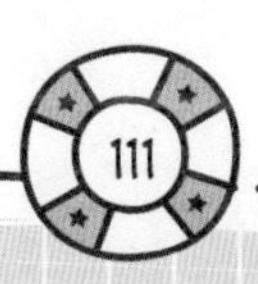

答案
冰块。
你过关了吗？
原来是个冰块呀！
112

第 49 题

一个人到医院去做检查，结果医生告诉他要看开一点，请问他得了什么病？

你还是看开一点吧。
大夫，你是说我得了绝症吗？

答案
斗鸡眼。
你过关了吗？
我的意思是说
你这是斗鸡眼。
原来是这样啊。

第 50 题

一对双胞胎长得一模一样，可还是有人能一下子分辨出来，这人是谁？

小朋友们，你们知道谁是米小圈？谁是米大圈吗？

答案
双胞胎自己。
你过关了吗？
我知道，他是米大圈，因为我是米小圈。
没错！我就是米大圈。

第 51 题

一次长跑比赛，你超过了第二名，你是第几名？

答案
第二名。
呜呜……
早知道就不等
姜小牙了。
你过关了吗？

第 52 题

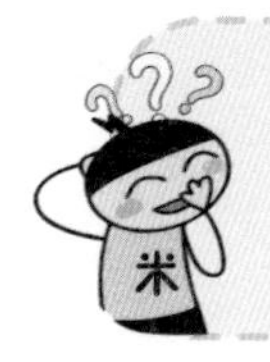
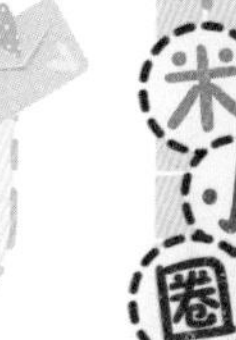

4+4+4+4，猜一种水果。

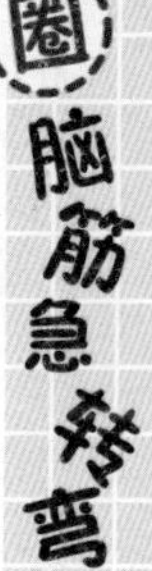

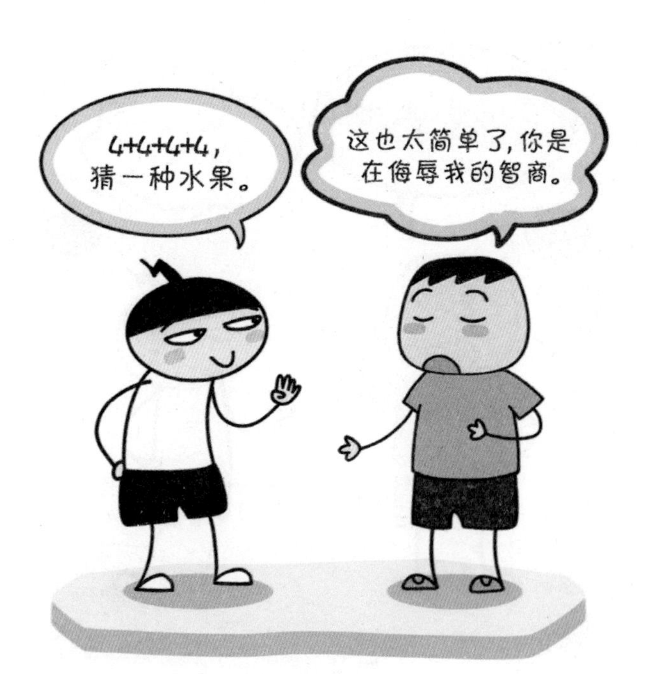

4+4+4+4，
猜一种水果。
这也太简单了，你是
在侮辱我的智商。

答案
石榴。
你过关了吗？
“四”的谐音是“柿”，所以答案是柿子。
答案是石榴(十六）。
120

第 53 题

什么鱼生活在水深火热之中？

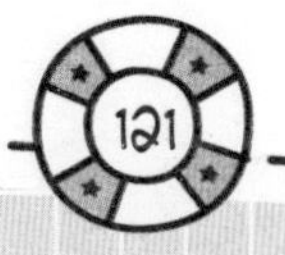

答案
锅里的鱼。
你过关了吗？
不许伤害
这条鱼！
米小圈，不许
阻止厨师。

第 54 题

一条狗过了独木桥之后就不叫了。(打一成语)

答案
过目（木）
不忘（汪）。
你过关了吗？
它果然不叫了。
这就叫过目（木）
不忘（汪）。
124

第 55 题

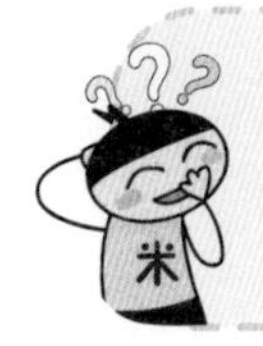

一根长棍子，在不弄断它的情况下，如何使它变成短棍子？

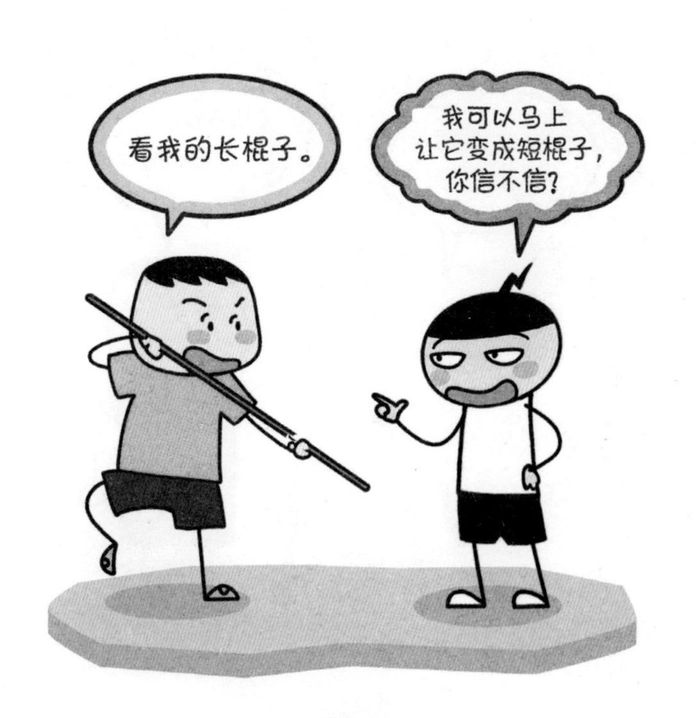

看我的长棍子。
我可以马上让它变成短棍子，你信不信？

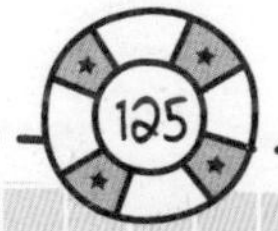

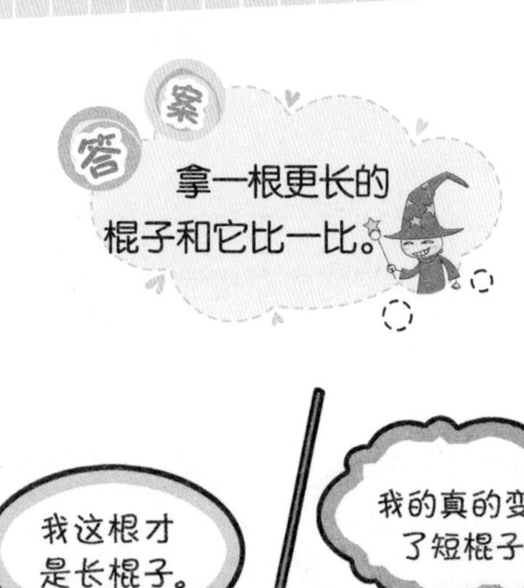

你过关了吗？

第 56 题

你怎样才能把你的左手全部放进你身上右边的裤袋内，而同时又把你的右手全部放进你左边的裤袋内？

答案
把裤子前后反着穿。
你过关了吗？
把裤子反过来穿不就行了吗？哈哈，你可真笨呀。
对呀！我怎么没想到。
128

第 57 题

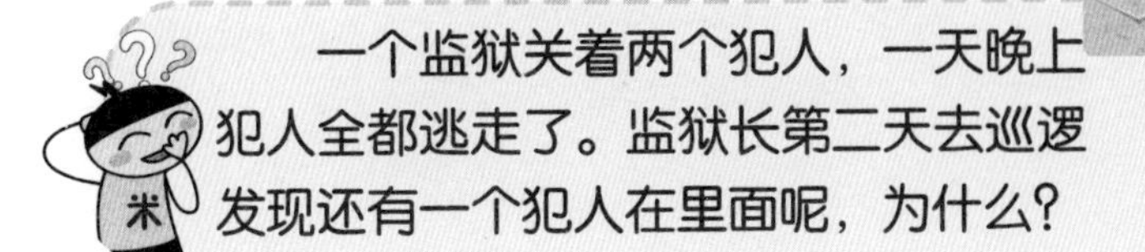

一个监狱关着两个犯人，一天晚上犯人全都逃走了。监狱长第二天去巡逻发现还有一个犯人在里面呢，为什么？

报告！报告！
有个叫全都的
犯人越狱了。

第三场过后

呜呜……我的二十道题全部出完了，结果王聪聪小朋友全部答对了。

王聪聪得意地说：“快叫我小神童，快叫我小神童。”

李黎第一个说道：“好吧，小神童。”

车驰也不得不服气地说：“小神童，我承认你比我聪明。”

王聪聪对我说：“米小球，你为什么不叫？”

我正准备叫小神童，这时突然一个人走进了教室。

“小圈哥，你们在干什么呢？”

原来是我的表弟大牛。当大牛得知我们正在比赛脑筋急转弯时，高兴极了。

“我也要玩，我也要玩。”大牛拽着我的胳膊央求道。

我说道：“大牛，你来晚了，比赛已经结束了，我们已经输了。”

大牛哈哈大笑：“你们可真笨，竟然输给一个小朋友。”

王聪聪生气地说：“哼！我不是小朋友，我是小神童。”

大牛说：“这个世界上还有比我名侦探大牛更聪明的人吗？我不信，你敢不敢跟我比一比？”

王聪聪自信地说：“比就比，谁怕谁。”

大牛说道：“提问！”

王聪聪接了一句：“回答！”

“这个世界上最难的脑筋急转弯是哪道题，你知道吗？”

王聪聪不假思索地说：“很多呀！”

大牛追问道:“具体是哪一道题,你知道吗?”

“我记得刚才有一道题,就是两个犯人越狱的那道题,就挺难的。”

大牛再次追问道:“那你答出来了吗?”

“嗯,想了一会儿就答出来了。”

“那就不算最难的题。”

王聪聪赶快开动脑筋:“还有更难的吗?让我想想,好像从来没有哪一道题是我做不出来的,只要给我点时间。”

大牛说道:“好了,时间到!”

“让我再想一会儿吧。”

“这个有什么可想的呀,世界上最难的脑筋急转弯问题当然就是我刚刚出的这道题呀,你想了半天都答不出来,难道它还不够难吗?”

对呀!最难的一道题当然就是这道题了。哈哈……

大家都笑了起来。

王聪聪一看大家笑了，哇的一声哭了起来："呜呜……不可能，我不可能答不出来的。呜呜……你们欺负人。"

我拍着王聪聪的肩膀说："小朋友，人外有人题外有题，你还是认输吧。"

王聪聪听我这么一说，哭的声音更大了。

就在这时，魏老师走了进来，咆哮道："你们谁在欺负王聪聪。"

所有人都指着我说："米小圈！"

图书在版编目（CIP）数据

机灵小神童 / 北猫编著. —成都：四川少年儿童出版社，2015.12（2019.1 重印）
（米小圈脑筋急转弯）
ISBN 978-7-5365-7439-7

Ⅰ. ①机… Ⅱ. ①北… Ⅲ. ①智力游戏–儿童读物
Ⅳ. ①G898.2

中国版本图书馆 CIP 数据核字（2015）第 306738 号

出版人　常　青

责任编辑　明　琴
书籍设计　李　煜
封面设计　刘　亮
责任校对　覃　秀
责任印制　王　春

书　　名　机灵小神童
编　　著　北　猫
出　　版　四川少年儿童出版社
地　　址　成都市槐树街 2 号
网　　址　http://www.sccph.com.cn
网　　店　http://scsnetcbs.tmall.com
经　　销　新华书店
图文制作　喜唐平面设计工作室
印　　刷　成都市金雅迪彩色印刷有限公司
成品尺寸　170mm × 150mm
开　　本　24
印　　张　6
字　　数　120 千
版　　次　2016 年 1 月第 1 版
印　　次　2019 年 1 月第 24 次印刷
书　　号　ISBN 978-7-5365-7439-7
定　　价　16.00 元

米小圈脑筋急转弯

机灵小神童

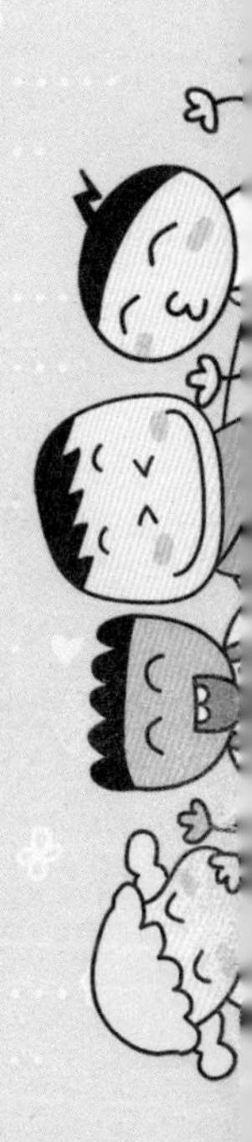

小朋友们，想把发生在你身边的趣事告诉北猫叔叔吗？

快快拿起手机，给他发送微信吧！等你哟！

找到北猫叔叔

快来扫一扫吧！

听“米小圈”广播剧

获得米小圈定制文具

抽奖得北猫叔叔签名书